Gilbert **Delahaye** ◆ Marcel **Marlier**

martine

à la montagne

casterman

• Découvre les personnages de cette histoire •

Martine

Joyeuse et curieuse, Martine adore s'amuser avec ses amis et son petit chien Patapouf. Ensemble, ils découvrent

le monde et vivent de véritables aventures. Une chose est sûre : avec Martine, on ne s'ennuie jamais !

Lison

Patapouf

Une cousine de Martine. Les deux filles ont le même âge et passent beaucoup de temps ensemble : en vacances, aux anniversaires, pour les fêtes, mais, surtout, dès qu'elles ont l'occasion de jouer et rire ensemble !

Ce petit chien est un vrai clown ! Il fait parfois des bêtises… mais il est si mignon que Martine lui pardonne toujours !

Martine et sa famille passent les vacances de Noël à la montagne.

Le train les dépose au pied de la station de ski.

– Passe-moi les valises ! dit Jean.

« Ouaf ! Ouaf ! » aboie Patapouf en grelottant comme pour dire :

« Brrr… qu'il fait froid, ici ! »

Martine et Lison sautent sur le quai. Déjà, le train repart !

Il ne faut que dix minutes en voiture pour atteindre le chalet. D'impressionnants sommets se dressent au loin derrière les toits enneigés du village.

– J'ai hâte de mettre mes skis… dit Martine à Lison.

– Dépêchons-nous de nous installer ! s'exclame Jean en déchargeant le coffre. Et ensuite : en route pour les pistes !

Martine, Lison, Jean et Patapouf empruntent le téléphérique
pour assister à leur cours de ski. L'année dernière, ils ont obtenu
leur première étoile. Maintenant, il faut progresser !
Tandis que la cabine prend de l'altitude, le village semble rapetisser !
Collés aux vitres, les enfants trépignent d'impatience.
– Dans quelques minutes, je descendrai cette pente ! se réjouit Jean.
– Moi la première ! le taquine Martine.

Sur la piste, le soleil fait scintiller la neige et l'air est frais. Les enfants font connaissance avec leur moniteur.

– Bonjour à tous ! Je m'appelle Thomas. D'abord, quelques échauffements. Les mains à la taille et : un… deux… un… deux…

Martine, Lison et Jean se penchent en rythme. Ils sont très souples…

Mais le plus doué, sans aucun doute, c'est Patapouf !

La leçon commence.

– Voyons si vous vous souvenez des bases du ski, déclare Thomas.

Tous en ligne ! Vous allez faire la course.

Martine attend le signal du départ. Son cœur bat très fort.

– Soyez prudents, ne vous bousculez pas. Attention, à vos marques…

Prêts… Partez !

Et hop ! Tout le monde s'élance !

Martine adore glisser sur la neige !

Elle file dans le vent. La piste descend entre les sapins.

Au pied de la pente, le village grandit, grandit…

Patapouf aboie : « Ouaf ! Ouaf ! » pour prévenir sa maîtresse : « Attention au virage ! »

— Bien vu, Patapouf ! répond Martine qui freine en chasse-neige.

Sauf qu'à force de ralentir, elle perd son avance !

– Vite ! s'écrie Martine en poussant sur ses bâtons.

Patapouf accélère lui aussi. Il glapit de plaisir : c'est si drôle

de gambader dans la neige ! Tout heureux, il sautille autour d'elle.

– Attention ! prévient Martine. Tu vas me faire tomber !

Trop tard ! Le ski de Martine dérape et… elle perd l'équilibre !

– Aaaah ! crie-t-elle en tombant à la renverse.

Dans sa chute, son bâton fait trébucher Patapouf… qui glisse
et dégringole à son tour !

Les autres enfants voient le petit chien et sa maîtresse dévaler
la pente sur les fesses.

Vont-ils réussir à s'arrêter ?

Martine parvient enfin à freiner.

– Rien de cassé ! conclut-elle après s'être relevée.

Heureusement… car la course continue ! La fillette reprend son élan.

Elle glisse à droite, à gauche, entre les piquets.

– Bravo ! hurle la foule.

Martine s'arrête tout essoufflée. Elle a gagné !

Mais où est Patapouf ?

Martine le cherche des yeux…

Quand, soudain, elle entend des aboiements réjouis.

– Te voilà ! s'exclame-t-elle en souriant.

Le petit chien termine la descente… en luge ! Perché sur le dos de Jean, il a l'air ravi !

À chaque nouvelle piste, pour rejoindre le sommet, les enfants empruntent les remontées mécaniques.

– Regarde, Patapouf! dit Martine. Des randonneurs…

Mais le petit chien regarde surtout le vide sous le télésiège…

Il n'est pas très rassuré!

Le soir, en arrivant au village, Martine, Lison et Jean rencontrent
une chèvre qui s'est échappée de la ferme.

– Dis donc, toi ! s'écrie Martine. Il faut rentrer… Si tu t'enfuis,
tu te perdras dans la montagne…

Sauf que l'animal ne veut pas obéir !

– Une seule solution, conclut la fillette. Jean, pousse-la dans l'étable…
Pendant ce temps, je tire !

Avec toute cette neige dans les rues, le meilleur moyen de transport, c'est le traîneau !

Les enfants rangent leurs skis à l'arrière, et grimpent sur la banquette.

Quant à Patapouf, il s'installe sur le dos du cheval !

– Je peux tenir les rênes ? demande Martine à son père.

– Oui, mais bien fermement. En avant, hue !

Le lendemain matin, les enfants ont une belle surprise : le lac, tout gelé, ressemble à un miroir. Idéal pour faire du patin à glace !

Martine, Jean et Lison sont les plus à l'aise du groupe.

Ils sont déjà lancés et enchaînent des acrobaties.

Même Patapouf tente une pirouette ! Mais, pas facile de garder l'équilibre… et ça fait froid aux pattes !

Cet après-midi, papa emmène tout le monde en randonnée.

Les enfants emportent une corde, des piolets et un gros sac

de provisions.

– Bonjour, monsieur, dit Martine à un berger qui passe par là,

vous savez si le refuge est encore loin ?

– Plus qu'un kilomètre ! assure-t-il. Mais dépêchez-vous car il pourrait

neiger bientôt !

Le berger avait raison : les flocons commencent à virevolter.

Martine et les autres pressent le pas. Sur le chemin, ils rencontrent

des biches et un cerf qui courent se mettre à l'abri.

– Comme ils sont beaux… dit Martine.

Elle aimerait les caresser, mais il n'y a pas de temps à perdre :

la neige tombe de plus en plus fort.

Heureusement, le refuge est en vue !

Grâce au feu de cheminée, il fait bien chaud dans le chalet.

Jean sort son harmonica. Dès les premières notes, Martine et Lison entonnent gaiement : « *Vive le vent, vive le vent, vive le vent d'hiver !* »

Soudain un « *Aooouuuh !* » retentit : c'est Patapouf, entraîné par la musique, qui joue les choristes !

Lui aussi adore les vacances à la montagne !

Retrouve **martine** dans d'autres aventures !

martine
à la ferme

martine
en voyage

martine
à la mer

martine
au cirque

martine
vive la rentrée !

martine
à la fête foraine

martine
fait du théâtre

martine
à la montagne

martine
fait du camping

martine
en bateau

martine
et les quatre saisons

martine
à la maison

martine
au zoo

martine
fait les courses

martine
en avion

martine
monte à cheval

martine
au parc

martine
garde son petit frère

martine
fête son anniversaire

martine
jardine

martine
fait du vélo

martine
petit rat de l'opéra

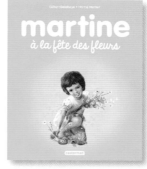

martine
à la fête des fleurs

martine
fait la cuisine

martine
apprend à nager

martine
est malade

martine
en vacances

martine
prend le train

martine
fait de la voile

martine
et le petit moineau

martine
et le petit âne

martine
fête maman

martine en montgolfière

martine à l'école

martine découvre la musique

martine a perdu son chien

martine dans la forêt

martine et le cadeau d'anniversaire

martine et la sorcière

martine un mercredi pas comme les autres

martine la nuit de Noël

martine déménage

martine se déguise

martine et les chatons

martine et les lapins du jardin

martine à l'hôpital

martine baby-sitter

martine en classe de découverte

martine
la leçon de dessin

martine
au pays des contes

martine
et les marmitons

martine
prépare une surprise

martine
l'arche des animaux

martine
princesses et chevaliers

martine
et les fantômes

martine
un amour de poney

martine
la dispute

martine
drôle de chien !

martine
protège la nature

martine
et le prince mystérieux

Casterman
Cantersteen 47
1000 Bruxelles

www.casterman.com

ISBN : 978-2-203-10698-7
N° d'édition : L.10EJCN000510.C002